FIN DE SEMANA EN BARCELONA

Jaime Corpas
Ana Maroto

SGEL

Primera edición, 2017

Produce: SGEL – Educación
Avda. Valdelaparra, 29
28108 Alcobendas (Madrid)

Edición: Mise García
Corrección: Ana Sánchez
Diseño de cubierta e interior: Alexandre Lourdel
Ilustraciones de cubierta y de interior: Pablo Torrecilla
Maquetación: Alexandre Lourdel

ISBN: 978-84-9778-964-6

Depósito legal: M-12660-2017
Printed in Spain – Impreso en España

Impresión: V.A. Impresores, S.A.

ÍNDICE

1

SIN NOTICIAS DE CARMEN

Miércoles – 20.45 horas

Paco Fernández y su hija Marina miran la calle desde el balcón. Pueden ver toda la calle de la Bola, de izquierda a derecha, porque viven en el cuarto piso. Su casa está en el barrio de Palacio, en el centro histórico de Madrid.

—¿Veis a mamá? —pregunta Lucas, que viene de la cocina.

—No. No es normal, nunca llega más tarde de las ocho.

—Pues son las nueve menos cuarto —dice Marina—. ¡Tengo hambre!

—Papá, ¿por qué no la llamas al móvil? —dice Lucas.

—La llamo, pero no contesta.

—Seguro que está en una reunión —dice Lucas.

Carmen es abogada y trabaja para un despacho[1] importante. Tiene clientes de profesiones diferentes: médicos, artistas, arquitectos, empresarios, etcétera.

1 *Despacho:* oficina.

—¿Por qué no cenamos nosotros? —pregunta Marina.

Paco entra en el salón con su hija y cierra el balcón.

—Yo no tengo hambre. Estoy preocupado[2].

—Mamá tiene cuarenta y ocho años —Lucas se ríe—. No es una niña.

Paco está muy enamorado[3] de Carmen, su mujer. Él tiene dos años más que ella y se conocen desde los dieciocho años. Carmen es su mejor amiga. Se llevan muy bien[4] y tienen las mismas aficiones: les gusta ver exposiciones de arte, leer, ver series de televisión, ir al cine, pero lo que más les gusta es viajar. Durante las vacaciones siempre van de viaje. A veces viajan lejos, al extranjero; otras veces, viajan por España.

Lucas sirve un gazpacho[5] de primer plato. Los tres tienen la cuchara en la boca cuando oyen unas llaves en la puerta de la entrada.

—¡Hola! ¡Ya estoy aquí! —grita[6] Carmen desde el pasillo.

Carmen entra en la cocina. Lleva un traje elegante y el maletín de trabajo en la mano. Los mira con una gran sonrisa y dice:

—Familia, tengo una noticia[7] buenísima.

Los tres la miran en silencio, pero Carmen no dice nada. Quiere darles una sorpresa.

—¿Nos dices la noticia o no? —pregunta Marina.

—Mamá, por favor —dice Lucas.

—Vale, pero primero voy a ponerme otra ropa. Ahora vuelvo.

2 *Preocupado/a:* cuando alguien no está tranquilo.

3 *Enamorado/a:* sentir amor por alguien.

4 *Llevarse bien:* tener una buena relación.

5 *Gazpacho:* sopa fría de tomate, pimiento, aceite, vinagre, ajo y sal.

6 *Gritar:* hablar muy alto.

7 *Noticia:* información.

Carmen sale de la cocina. En la mesa, los tres Fernández oyen que Carmen se ríe mientras[8] camina por el pasillo hacia su habitación.

—Llega tarde y se ríe de nosotros —dice Paco.

—Tengo una idea —Lucas sonríe.

Carmen se pone ropa cómoda y entra en la cocina muy contenta. Su marido y sus hijos cenan en silencio. No la miran ni le preguntan nada.

—¿Sabéis cuál es la noticia? —pregunta Carmen.

—No —contesta Marina sin levantar los ojos del gazpacho.

—¿No queréis saberla? —dice Carmen muy divertida.

—Bueno —contesta Paco y bebe su gazpacho sin mirarla.

—¡Es una sorpresa! —dice Carmen, pero nadie la mira.

—Mamá, el pollo frío está muy malo —Lucas sirve pollo de segundo plato.

—Tienes razón, hijo, me siento a cenar —contesta Carmen.

Los tres quieren saber cuál es la noticia. Pero Carmen no dice nada y sonríe.

8 *Mientras:* al mismo tiempo.

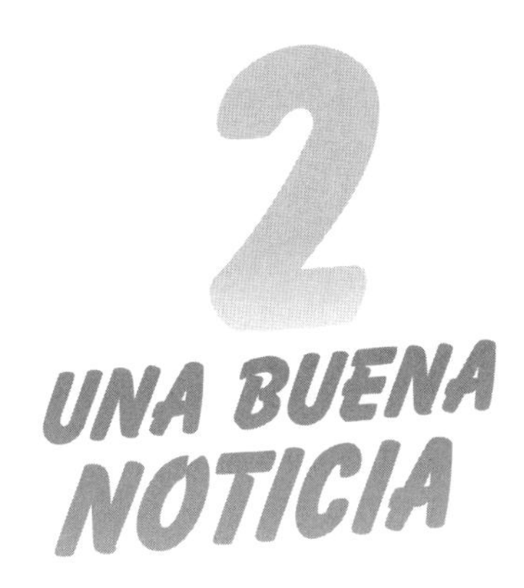

2 UNA BUENA NOTICIA

Miércoles por la noche

Después de cenar, los Fernández van al salón a ver «El gran cocinero». Están los cuatro delante de la tele, pero Paco, Marina y Lucas miran a Carmen. Quieren saber cuál es la sorpresa, la buena noticia. Pero Carmen mira el programa de los cocineros y no dice nada. Sabe que su familia calla[9] para ver si ella habla. ¿Quién es más fuerte: ella o ellos? Al final, Paco dice:

—¡Está bien! ¿Cuál es la sorpresa?

Carmen está muy contenta: los tres la miran con los ojos muy abiertos.

—La buena noticia es que soy una gran abogada —dice Carmen.

—Ya lo sabemos, cariño[10] —dice Paco—. Eso no es una sorpresa.

9 *Callar:* no hablar, estar en silencio.

10 *Cariño:* llamamos así a la gente que queremos: buenos amigos, familia o relaciones amorosas.

—No. La sorpresa es que… ¡nos vamos de viaje los cuatro! —grita Carmen.

—¡¿A dónde?! —pregunta Marina.

—Podéis elegir la ciudad —dice Carmen—. Pero una ciudad española.

—¿Por qué nos vamos de viaje? —pregunta Lucas.

—Porque tengo un cliente que está muy contento con mi trabajo. Me regala el viaje y el alojamiento para los cuatro en uno de sus hoteles.

—¡Enhorabuena! —Paco besa a su mujer—. Eres la mejor.

—Aquí está el folleto con toda la información de los hoteles. En la página web podemos ver fotos y vídeos.

—¿Y cuándo nos vamos de viaje? —pregunta Lucas.

—Este fin de semana —contesta Carmen.

—Pues yo no puedo —dice Lucas.

—¿No puedes? ¿Por qué? —pregunta Paco.

—Porque el sábado voy a una manifestación[11] para salvar el Ártico.

—Hijo, puedes salvar el Ártico otro día. No va a desaparecer el sábado.

—Pero después hay una fiesta y va todo el mundo —dice Lucas.

—Siempre tienes fiestas los fines de semana —dice Carmen.

—Y siempre voy de viaje con vosotros en vacaciones —contesta Lucas.

—Hijo, ¿si eliges tú la ciudad, vienes? —pregunta Carmen.

11 *Manifestación:* reunión de mucha gente en la calle para pedir algo o protestar por algo.

—¡Ah, no! Si él elige la ciudad, yo no voy —dice Marina.

Normalmente, Lucas y Marina nunca están de acuerdo, discuten por todo y no se llevan demasiado bien. Marina tiene tres años menos que Lucas, pero él piensa que es una niña. Y a Marina eso no le gusta.

—Tranquila, hermanita. Por mí puedes elegirla tú porque yo no voy.

—Mamá, yo quiero ir a Sevilla —dice Marina.

—Sevilla, no. Ahora hace mucho calor en el sur —dice Paco.

—¿Nos vamos a Barcelona? —pregunta Carmen.

—Los tres conocemos Barcelona —dice Marina.

—A mí siempre me gusta volver a Barcelona —dice Carmen—. Y hay sitios que no conocemos.

—¿Vamos a Valencia? —pregunta Paco.

—Los tres conocemos Valencia —contesta Carmen.

—Así no vamos a ningún sitio —dice Marina.

—Tengo la solución —dice Carmen—. Si dos de nosotros estamos de acuerdo en ir a la misma ciudad, vamos los tres, ¿vale?

—Vale —dicen Paco y Marina.

—¿Por qué no lo decidís mañana? —Lucas no puede oír la tele.

—Sí, mañana miramos la página web y decidimos, ¿vale? —dice Paco.

—Vale —contesta Marina.

—Lucas, tú nos dices mañana si finalmente vas a venir o no —dice Carmen.

—No es necesario esperar hasta mañana, mi respuesta es no.

3

LUCAS VA A LA FACULTAD

Jueves por la mañana

Lucas sale del metro Ciudad Universitaria para ir a la Facultad de Biología, donde estudia el tercer curso. En la salida se encuentra con su amigo Luis, que va a la misma clase y es uno de los organizadores de la manifestación.

—¡Este sábado va a ser histórico! —dice Lucas.

—Sí, vienen periodistas y cámaras de televisión —Luis está entusiasmado[12].

—¿Tu hermana Blanca viene después a la fiesta? —pregunta Lucas.

—No sé. Últimamente, habla poco. Está triste[13] porque ya no sale con su novio.

—¡¿No tiene novio?!

12 *Entusiasmado/a:* muy contento.

13 *Estar triste:* lo contrario de estar contento.

LUCAS VA A LA FACULTAD

El corazón de Lucas va a mil por hora[14]. Está enamorado de Blanca desde hace años. Lucas piensa que ella es la mujer de su vida: su gran amor. Pero Blanca tiene veintidós años y, para ella, Lucas es el amigo de su hermano pequeño: un niño.

—Esta es mi oportunidad con Blanca —le dice a su amigo.

—¿Todavía te gusta mi hermana? —Luis está sorprendido.

—No me gusta, Luis: la amo y quiero casarme con ella.

—Pues lo siento, pero creo que no tienes ninguna posibilidad —dice Luis.

—No estoy de acuerdo. Blanca está triste y no tiene novio: necesita a alguien a su lado. ¡Y yo soy ese alguien! —Lucas está contento—. Sé que gusto a las chicas. Y tu hermana es una chica.

—Lucas, eres guapo, listo[15] y simpático. Y todas las chicas en nuestra clase están enamoradas de ti, desgraciadamente para mí —dice Luis—. Pero a mi hermana le gustan los chicos más mayores[16]. La conozco muy bien.

—Tu hermana, como todas las chicas, necesita hablar y yo sé escuchar. Ella necesita a alguien amable, divertido y educado, y yo soy todas esas cosas.

—Con mi hermana no tienes ninguna posibilidad... —Luis se ríe.

—Sé que Blanca puede ser mi novia, pero para eso necesito hablar con ella.

—Pues ahí está, en la parada del autobús —dice Luis.

La parada está al lado de la Facultad de Medicina donde estudia Blanca. Los chicos se paran delante de ella, pero la

14 *A mil por hora:* muy rápido.

15 *Listo/a:* inteligente.

16 *Mayor:* de más edad.

chica no los ve porque piensa en sus cosas. Luis saluda con la mano delante de la cara de Blanca.

—¡Ah! ¡Hola, chicos! —dice Blanca—. ¿Qué tal, Lucas?

Normalmente, Lucas se pone muy nervioso cuando ve a Blanca, y le resulta difícil hablar. Pero, hoy, Blanca tiene los ojos tristes y sonríe sin energía. Hoy, Blanca es la persona débil y Lucas es la persona fuerte.

—Muy bien. ¿Y tú, qué tal estás? —pregunta Lucas con su mejor sonrisa.

—No muy bien —contesta ella—. Me duele mucho la cabeza.

—Puedo ir a una farmacia.

—No, no puedes, Lucas, ¡tenemos clase ahora! —dice Luis, enfadado[17].

—Gracias, pero me voy a casa —Blanca sonríe—. Y vais a llegar tarde a clase.

—Hasta luego, hermana —dice Luis—. Vamos, Lucas.

—¿El sábado vas a ir a la fiesta después de la manifestación? —pregunta Lucas.

—No, este fin de semana me voy a Barcelona a visitar a mis tíos —responde Blanca.

—¿A Barcelona...? ¡Yo también! —dice Lucas.

—¡¿Cómo?! Pero ¿qué dices? —Luis mira a su amigo sin entender.

—Vamos toda la familia a Barcelona. Para mi madre es muy importante, no puedo decir que no —contesta Lucas.

—¡La manifestación también es importante, Lucas! —dice Luis.

[17] *Enfadado/a:* te sientes así cuando algo o alguien te molesta.

FACULTAD DE MEDICINA

—Las personas son más importante que las ideas —contesta Lucas.

—Eres encantador[18] —Blanca sonríe a Lucas—. Y estoy de acuerdo contigo.

—Si quieres salir por Barcelona, podemos quedar[19] —dice Lucas muy amable.

—Pero ¿no vas con tu familia? —Luis está muy enfadado—. ¡No puedes quedar con ella!

—Viajamos juntos toda la familia, pero somos muy independientes —dice Lucas—. Cada uno va a donde quiere.

—No sé cuáles son los planes de mis tíos o qué voy a hacer —dice Blanca.

—Claro. Te llamo o te mando un mensaje en Barcelona y tú me dices si puedes quedar o no —Lucas saca su móvil—. ¿Me das tu número?

—¡Yo te lo doy! ¡Tenemos que irnos! —grita Luis.

—Sí, vais a llegar tarde a clase —dice Blanca—. ¡Hasta luego, chicos!

—¡Adiós! —Luis camina muy rápido.

—¡Hasta pronto, Blanca! —Lucas se despide con una bonita sonrisa.

18 *Encantador/a:* muy simpático y agradable.

19 *Quedar:* encontrarse.

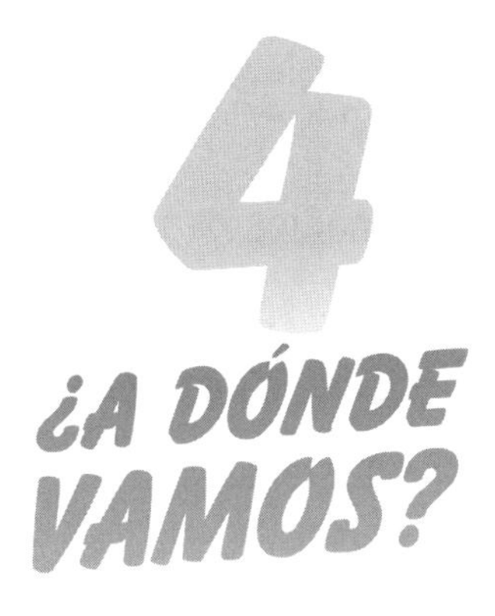

4 ¿A DÓNDE VAMOS?

Jueves por la tarde

Paco, Carmen y Marina llevan una hora delante del ordenador: miran la página web de los hoteles. Cada uno prefiere una ciudad diferente.

—¡No puedo más! —dice Carmen—. Estoy cansada de ver ciudades.

—Podemos elegir un hotel. Si nos gusta el mismo hotel a dos de nosotros, vamos, ¿vale? —pregunta Paco.

—Vale —contestan Carmen y Marina—. Buena idea.

Cierran el mapa de las ciudades y abren el menú «fotos». Ahora miran los salones, los comedores y las habitaciones de los hoteles.

—¡Este salón es muy bonito! Y las habitaciones son grandes y tienen terraza —dice Marina.

—El comedor parece muy acogedor[20] —dice Carmen.

—Y el desayuno, delicioso —Paco mira las fotos—. Tienen tartas, bollos, panes, mermeladas, huevos, embutidos, fruta...

20 *Acogedor:* agradable, cómodo.

—¿Vamos a este hotel? —pregunta Marina.

—¡Vamos! —contestan Paco y Carmen.

Los tres están muy contentos porque, por fin, están de acuerdo.

—¿Dónde está el hotel? Sorpresa, sorpresa, el hotel está en... —Paco busca el lugar exacto donde está el hotel en el mapa de la zona—. ¡No!

—¿Qué pasa? ¿No hay habitaciones? ¿Está completo? —pregunta Marina.

—Hay habitaciones —Carmen mira la localización —, pero el hotel está en la isla de El Hierro.

—¡En las islas Canarias! —Marina está entusiasmada—. ¡Yo quiero ir!

—No podemos, hija. No hay vuelos directos: hay que volar hasta Tenerife o Las Palmas —dice Paco— y desde allí volar en otro avión hasta El Hierro.

—Para mí no es un problema —dice Marina.

—Es un viaje muy caro —dice Carmen.

—Y, además, no hay tiempo. Salimos de Madrid el viernes por la tarde y volvemos el domingo. ¿Quieres pasar el fin de semana en un avión?

Una vez más, miran y miran fotos de hoteles. Oyen la puerta de la entrada.

—¡Hola, familia! —grita Lucas—. Ya estoy aquí.

Carmen está cansada de mirar fotos y se va del salón para saludar a Lucas.

—Aquí está la madre más guapa del mundo —dice él y la abraza[21].

21 *Abrazar:* rodear con los brazos a alguien.

—Estás muy cariñoso[22], hijo.

—¡Me voy de viaje con vosotros! —dice Lucas.

—¡Qué bien! —Carmen besa a su hijo—. ¡Nos vamos los cuatro de viaje!

—Sí, ¡nos vamos a Barcelona! —Lucas levanta a su madre del suelo.

—Bueno, todavía no sabemos a dónde vamos —dice Carmen.

—Sí lo sabemos, mamá: nos vamos a Barcelona —Lucas sonríe.

Carmen entra en el salón con Lucas. Paco y Marina están contentos: hay dos hoteles muy bonitos en Bilbao y en Málaga.

—Mamá, tú decides ahora. Yo prefiero el hotel de Málaga.

—Y yo prefiero el hotel de Bilbao —dice Paco—. ¿A dónde vamos?

—¡A Barcelona! —grita Carmen muy contenta.

—No, mamá. Tenemos que estar de acuerdo dos de nosotros, ¿recuerdas?

—¡Claro! Yo digo Barcelona —contesta Carmen.

—Y yo también digo Barcelona —Lucas se ríe—. Somos dos.

—Pero ¿tú no vas a una manifestación para salvar a las ballenas[23]? —Marina mira a su hermano sorprendida.

—La manifestación del sábado no es para salvar a las ballenas, es para salvar el Ártico —contesta Lucas muy amable.

—¿Y por qué no te quedas para salvar el Ártico? —Marina está enfadada.

—Porque manifestaciones hay muchas, pero familia solo hay una. ¡Y vosotros sois la mía!

22 *Cariñoso/a:* amable, simpático.

23 *Ballena:* gran mamífero que vive en el mar.

5

¡A LA ESTACIÓN DE ATOCHA!

Viernes por la tarde

Los Fernández salen de casa a las seis y cuarto de la tarde y van en taxi desde la calle de la Bola hasta la estación de Atocha. No hay mucha distancia, pero hay mucho tráfico. Los viernes, mucha gente se va de Madrid para pasar el fin de semana fuera. El tren de los Fernández sale a las siete de la tarde. El taxi llega a la estación a las siete menos diez.

—¡Vamos a perder el tren! —grita Marina y corre a la entrada de la estación.

Carmen y Lucas corren detrás de Marina. Paco paga al taxista y corre también. Los Fernández corren con las maletas hacia la salida de los trenes AVE: Alta Velocidad Española.

—¡Son las siete menos ocho minutos y todavía tenemos que pasar el control de las maletas! —grita Marina mientras corre hacia el control de la policía.

—¡Por qué no te callas, me pones nervioso! — dice Lucas.

—Por favor, ¿vais a discutir ahora? —dice Carmen, que corre con Paco detrás de sus hijos.

A las siete menos seis minutos pasan todos el control menos Paco.

—Lo siento, pero necesito ver qué hay en su maleta —le dice un policía.

Los cuatro se miran preocupados. Paco abre rápidamente su maleta.

—¡Ahora voy! —dice Paco—. Vosotros me esperáis en la puerta número diez.

Carmen, Lucas y Marina corren por el pasillo y llegan a la puerta número diez a las siete menos cinco. Una azafata les pide los billetes.

—Mi marido está en el control —dice Carmen—. Lo esperamos aquí.

—Señora —dice la azafata—. Son las siete menos cinco minutos. En dos minutos cerramos esta puerta y ya no puede pasar nadie.

—Voy a buscar a papá —dice Lucas y corre hacia el control de la policía.

Paco pasa finalmente el control, pero no cierra bien la maleta. Lucas llega al pasillo y ve a su padre, que corre hacia él. Detrás de Paco también corre una chica pelirroja con su maleta.

—¡Papá! —grita—. ¡Van a cerrar la puerta!

—¡Sí, sí! ¡Voy!

Pero la maleta se abre y todas las cosas de Paco caen al suelo. La pelirroja se para porque una cosa blanca cae en su pie. Paco se para y mete sus cosas en la maleta rápidamente. Lucas corre y ayuda a su padre.

—Perdone, ¿esto es suyo? —pregunta la chica, pero no espera la respuesta, pone un calcetín blanco en la mano de Paco y se va.

—¡Ay, sí! ¡Mi calcetín! —dice Paco.

—¡¿Usas calcetines blancos?! —a Lucas no le gustan nada.

—Hijo, este no es el mejor momento para hablar de moda, ¿no crees?

Paco cierra la maleta y se levanta del suelo rápidamente.

En la puerta número diez la azafata mira el reloj. Carmen y Marina miran el pasillo porque esperan ver a Paco y a Lucas, pero quien viene es la chica pelirroja.

—¡Voy a Barcelona! ¿Es aquí? —la chica le da el billete a la azafata.

—¡Sí, es aquí! Tiene que bajar las escaleras mecánicas. ¡Rápido! —responde la azafata. Y mira a Carmen y a Marina—. Lo siento, pero son las siete menos dos minutos y tengo que cerrar la puerta. ¿Pasan o se quedan?

—¿No puede esperar medio minuto? —pregunta Carmen—. ¡Por favor!

—No, lo siento. El AVE nunca llega tarde porque siempre sale puntual.

La puerta empieza a cerrarse. Carmen y Marina están muy tristes.

—¡Un momento, por favor! —Lucas y Paco corren hacia la puerta diez.

—¡Ahí están! —le dice Carmen a la azafata—. ¡Por favor, ¿nos abre?!

—¡Rápido! —dice la azafata mientras abre la puerta automática.

Los Fernández corren por las escaleras mecánicas hasta el tren y suben. Antes de encontrar sus asientos, el tren sale hacia Barcelona.

6
UN TREN QUE VUELA COMO UN PÁJARO

El AVE es un tren muy rápido, va a más de 300 kilómetros por hora. La distancia entre Barcelona y Madrid es de unos 620 kilómetros por carretera[24] y el viaje en coche son unas seis horas. El viaje en AVE son exactamente dos horas y media.

Los Fernández encuentran sus cuatro asientos con una mesa en el centro.

—¿Quién prefiere ventanilla? —pregunta Carmen.

—¡Yo! —contestan muy rápido Lucas y Marina.

Marina se sienta en el lado de la ventana y su madre, en el asiento del pasillo. Enfrente de ellas, al otro lado de la mesa, Lucas se sienta en el asiento de la ventana y Paco, en el asiento del pasillo.

Lucas mira su móvil, pero no tiene ningún mensaje. Escribe: «Hola, Blanca. No contestas a mis mensajes. No sé si estás ocupada o este número no es el tuyo». Lee el mensaje, piensa si lo envía o no... No quiere molestar a Blanca, pero... ¡Necesita

24 *Carretera:* camino público por donde pasan los coches.

saber algo de ella! Al final, lo envía. Y espera la respuesta de Blanca durante un segundo, dos, tres… Un minuto, dos, tres… Lucas decide esperar un cuarto de hora sin mirar el móvil.

Quizás[25] Blanca está en la ducha. O está en un sitio donde hay ruido y no oye los mensajes. O no encuentra el móvil. O está en la calle y el móvil está en casa. O… Cuatro minutos después, Lucas mira el móvil otra vez. Nada. El amor de su vida no contesta. No sabe qué hacer. ¿Llamar a su amigo Luis y preguntar por Blanca? Quizás está en un hospital. Blanca oye sus mensajes desde la cama, sabe que es él, quiere responder, pero los médicos no le dan el móvil porque está muy enferma. Blanca les dice: «¡Por favor, por favor! Necesito hablar con Lucas».

Lucas oye «¡Pip pip!» ¡Un mensaje nuevo! Mira el móvil y… Es su madre. El mensaje dice: «Hola, hijo. ¿Qué tal estás? Nosotros muy bien, de viaje a Barcelona». Levanta los ojos del móvil: los seis ojos de su familia lo miran a él. Le saludan con la mano.

—Si te gusta más escribir que hablar, te enviamos mensajes —dice Carmen.

—¿A quién escribes? —pregunta Paco.

—Mañana es la manifestación —responde Lucas— y siempre colaboro en la organización. ¡Envío instrucciones para ayudar a los compañeros que hacen mi trabajo!

—Ah, perdona, hijo —dice Paco.

—Tengo que llamar para hablar de algo importante.

Lucas se levanta y sale para llamar a Luis desde la cafetería y preguntarle por Blanca. Paco y Carmen sonríen, orgullosos de tener un hijo tan responsable.

25 *Quizás:* posiblemente.

7
SIN NOTICIAS DE BLANCA

En la cafetería, algunos viajeros toman café o comen bocadillos mientras leen periódicos y revistas; otros viajeros se llevan la comida a sus asientos. Lucas llama a Luis. Espera. No contesta. Llama otra vez. Nada, no contesta.

—¡Hola! —dice la chica pelirroja.

Lucas no la ve ni la oye porque piensa en Blanca: «Quizás Luis está con ella y no contestan porque tienen un problema importante».

—¿No te acuerdas de mí? ¡Soy la chica del calcetín! —dice la pelirroja.

—Perdón, ¿qué dices? —Lucas la ve por fin.

—Nada, perdona... —responde ella—. Tú y tu padre casi perdéis el tren, pero ¡aquí estás!

—¡Sí! —Lucas sonríe.

—Me llamo Almudena, ¿y tú?

Lucas no contesta porque oye su móvil y se va rápidamente a la puerta.

—¡Bocadillo caliente de tortilla de patatas! —grita el camarero.

—¡Para mí! —dice la chica pelirroja. Y el camarero le da el bocadillo.

Almudena es una chica delgada, tiene una cara agradable, el pelo rojo y rizado y los ojos marrones. Tiene veinte años, es muy sociable y le gusta conocer a gente nueva. Lucas le parece un chico interesante y atractivo. Se queda en la cafetería para esperar a Lucas y se come el bocadillo de pie.

—Luis, estoy preocupado por Blanca —Lucas habla con su amigo por teléfono—. La llamo, pero no me contesta. Y tampoco contesta mis mensajes. Quizás tengo su número equivocado[26]...

Pero el número de Blanca que tiene Lucas es correcto. Y Blanca no tiene ningún problema. Lucas recuerda las últimas palabras de Luis antes de colgar: «Si mi hermana no contesta tus llamadas, es porque no quiere hablar contigo. Y si no contesta tus mensajes, es porque tampoco quiere quedar contigo, ¿vale?».

Lucas sale de la cafetería sin acordarse de Almudena, llega a su sitio y se sienta. Los Fernández miran el paisaje.

—¡Me encanta viajar en tren! —dice Marina.

—A mí también —dice Carmen—. Y me gusta más el tren que el autobús.

—A mí también —dice Paco—. Además, el AVE es muy rápido.

—El avión es más rápido que el AVE —dice Marina—, pero prefiero el AVE.

26 *Equivocado/a:* incorrecto.

—Yo estoy en contra del avión —dice Lucas— porque contamina mucho.

—Sí, pero en avión llegas antes —dice Marina.

—¡No llegas antes! Los aeropuertos están lejos de la ciudad. Y tienes que estar en el aeropuerto mucho tiempo antes de la salida del avión.

—Tienes razón —contesta Marina amablemente—. En un viaje corto llegas antes en tren, pero en un viaje largo es más rápido el avión.

—¡Hay que decir «no» al avión! —Lucas la mira muy serio.

—Hijo, está bien ser ecologista, pero no es necesario ser antipático —dice Paco.

—Está bien, me voy y no os molesto más.

Lucas se levanta del asiento y sale otra vez hacia la cafetería. Paco, Carmen y Marina se miran sin entender qué le pasa a Lucas.

Almudena se acaba el bocadillo y va a salir, pero ve entrar a Lucas y espera.

—¡Hola! —Almudena sonríe contenta.

Pero Lucas la saluda con un «hola» muy serio y la pelirroja, tímida, se va.

«No ayudo a mi amigo, me enfado con mi familia y soy un mentiroso[27]», piensa Lucas, «¿quién es el tonto[28] que necesita amor?»

27 *Mentiroso/a:* alguien que no dice la verdad.

28 *Tonto/a:* estúpido, lo contrario de inteligente.

8

LOS FERNÁNDEZ LLEGAN A BARCELONA

Viernes por la noche

El AVE llega exactamente a las nueve y media de la noche a la estación de Sants en Barcelona. Los Fernández van en taxi al hotel.

—En Barcelona hay muchos turistas —Marina mira por la ventana del taxi.

—¿Saben ustedes que Barcelona es una de las ciudades más visitadas del mundo? —pregunta el taxista.

—Es normal —dice Carmen—, la arquitectura es maravillosa[29], el clima es agradable y la comida catalana es deliciosa.

—¿Conocen la Sagrada Familia[30]? —pregunta el taxista.

—¡Sí! —dice Marina—. A mí me encanta la arquitectura de Gaudí. También conozco la casa Batlló, la Pedrera[31]...

29 *Maravilloso/a:* fantástico, extraordinario.

30 *Sagrada Familia:* es uno de los monumentos más visitados de España.

31 *La Casa Batlló y la Pedrera:* dos edificios modernistas que se encuentran en el Paseo de Gracia.

—¿Y el Parque Güell? —pregunta el taxista.

—No, no conozco el Parque Güell —contesta la joven.

—Tu madre y yo sí —dice Paco—. Es un sitio muy bonito para pasear.

—Y tiene muy buenas vistas —dice Carmen.

—¿Vamos mañana al Parque Güell? —pregunta Marina—. ¡Por favor!

—Lucas, ¿vamos mañana al Parque Güell? —pregunta Carmen a su hijo.

—¡Está muy lejos! —contesta Lucas—. Yo prefiero pasear por los barrios del centro: por la Rambla[32] y por el Raval[33].

Pero Lucas no quiere ir lejos porque quiere quedar con Blanca.

—Pues yo voy al Parque Güell mañana —dice Marina.

El taxista para delante de un hotel muy bonito en una plaza pequeña y tranquila del Barrio Gótico[34]. Los Fernández bajan del taxi.

—¡Qué bonito! —Carmen mira alrededor.

—¡Sí! —dice Lucas muy contento—. Y estamos al lado de la Catedral.

—¡El hotel es precioso! —Paco sonríe.

—¡Me encanta Barcelona! —dice Marina.

Los Fernández entran muy contentos en el hotel con sus maletas.

32 *La Rambla:* famoso paseo que va desde la plaza de Cataluña hasta el puerto.

33 *Raval:* barrio multicultural en la parte antigua de la ciudad.

34 *Barrio Gótico:* el barrio más antiguo de Barcelona.

9
UN HOTEL EN EL BARRIO GÓTICO

Viernes – 23.00 horas

Carmen y Paco salen de su habitación en el cuarto piso y bajan en el ascensor a la recepción del hotel. Allí encuentran a Marina.

—¿Qué tal tu habitación, hija? —pregunta Paco.

—Me encanta. Tengo una habitación doble para mí sola. Es preciosa y tiene un balcón con vistas a la plaza. El cuarto de baño es grande y los productos son ecológicos. ¡Es un hotel de lujo!

—Tu madre es una abogada de lujo, por eso estamos en un hotel de lujo —dice Paco, orgulloso de su mujer.

—Sí, creo que soy buena —Carmen se ríe—, porque nosotros tenemos una suite: hay una habitación grande con cama de matrimonio, un salón, un comedor con cocina y una terraza con jardín.

—Yo tengo una habitación doble, pero vosotros tenéis una casa —dice Marina—. ¿Dónde está Lucas? Tengo mucha hambre.

—Yo también —dice Paco—. Son las once, no vamos a encontrar un restaurante para cenar a estas horas.

—En Barcelona siempre hay sitios para cenar tarde —dice Carmen—. Y no es necesario ir a un restaurante, podemos cenar en un bar de tapas.

—¡Buena idea! —dice Marina—. ¡Ahí está Lucas!

Lucas sale del ascensor con el móvil en la mano.

—Yo me quedo aquí en el hotel —dice—. Estoy muy cansado y prefiero descansar para mañana.

Pero Lucas no quiere salir porque su móvil tiene poca batería… Y espera una respuesta de Blanca para salir juntos esa noche.

—¿No tienes hambre? —pregunta Paco.

—Puedo pedir un bocadillo aquí en el hotel —contesta Lucas.

—¿Un bocadillo aquí en el hotel? Y tú solo… ¡Qué triste, hijo! —dice Paco.

—No vamos a volver tarde —dice Carmen—. Cenamos unas tapas por aquí cerca y volvemos pronto. ¡Venga, Lucas! ¡Vamos todos!

Lucas oye un mensaje en el móvil. ¡Es de Blanca! Lo lee: «Hola Lucas. Veo ahora tus mensajes. Salgo del cine con mis tíos y volvemos a casa. Mañana por la mañana vamos al Parque Güell».

—¡Vale, vamos a comer unas tapas! —responde Lucas—. ¡Y mañana también voy con vosotros al Parque Güell!

10

DE LA PLAZA DE CATALUÑA AL PARQUE GÜELL

Sábado por la mañana

Los Fernández se levantan temprano y desayunan en la terraza del hotel. Toman café con leche, zumo de naranja, bollos y tostadas con tomate y aceite. Mientras desayunan estudian el mapa de Barcelona y los planos del metro y de los autobuses para saber cómo ir hasta el Parque Güell.

—¿Vamos en metro? Aquí al lado tenemos la estación de Jaime I —dice Marina—. Es la línea 4, de color amarillo. Hay seis paradas hasta Alfonso X y desde allí son veinte minutos a pie hasta el parque.

—También podemos ir en autobús —dice Lucas—. En la plaza de Cataluña tenemos la parada del autobús 24 que va directo hasta el Parque Güell. Y desde aquí hasta la plaza de Cataluña solo son diez minutos a pie.

—Pero en metro llegamos en treinta y cinco minutos —dice Marina.

—Si vamos en autobús llegamos al Parque Güell en una hora —dice Paco.

—El metro es mucho más rápido que el autobús —dice Marina.

—Pero en el autobús vemos la ciudad —dice Lucas—. Y en el metro, no.

—Yo también prefiero ir en autobús para ver la ciudad —dice Carmen.

—Mamá y yo nos vamos en autobús —dice Lucas—. Si vosotros dos preferís ir en metro, nos encontramos en el parque.

Pero al final, los Fernández se ponen de acuerdo para ir todos en autobús.

—¡Qué edificios tan bonitos! —Carmen mira el Paseo de Gracia sentada en el autobús—. Las tiendas son preciosas y me encantan las terrazas.

—¡Esa es la casa Batlló! —Lucas mira a la izquierda, de pie en el pasillo.

—¡Y allí a la derecha está la Pedrera! ¡Es un edificio increíble! —dice Marina.

Cincuenta minutos después, los Fernández bajan del autobús en el Parque Güell y caminan hasta la entrada. Hay mucha gente en las taquillas para comprar la entrada.

—¡Qué tontos somos! —dice Carmen.

—¿Por qué, cariño? —pregunta Paco.

—Por no comprar las entradas antes, por internet —responde Carmen.

—Ahora vuelvo —dice Lucas y va hacia la entrada.

Busca entre la gente a una chica rubia, con el pelo largo y liso, alta y delgada, pero no la ve. Escribe un mensaje: «Estoy en el Parque Güell con mi familia. En la entrada, ¿dónde estás tú?». Pero Blanca no contesta.

Los Fernández entran en el parque a las diez y media. Carmen, Paco y Marina hacen fotos. Lucas lleva el móvil en la mano, pero no hace fotos porque espera una respuesta de Blanca. No mira el parque, mira a la gente...

—¡Lucas! —Carmen quiere hacerle una foto a su hijo—. Pero ¿qué miras?

—El paisaje —dice Lucas y oye un «bip, bip».

¡Mensaje de Blanca! Lee: «Acabo de desayunar. Al final, no vamos al Parque Güell». Lucas escribe: «Nosotros salimos ahora del parque. ¿Quedamos dentro de una hora?». Blanca no contesta.

—Lucas, ¿te pones ahí, con el mar detrás? —Carmen le hace una foto—. ¿Por qué no sonríes? ¿Te pasa algo?

—No, nada —contesta Lucas—. ¿Volvemos al centro?

—¡Hijo, acabamos de llegar!

Paco y Marina estudian el plano del parque.

—¿Subimos por estas escaleras, vamos por este camino y bajamos por aquí hasta la salida? —pregunta Paco, con el plano en la mano.

—¿Queréis pasar toda la mañana en el parque? —pregunta Lucas.

Y oye el «bip, bip» de un mensaje. ¡Es la respuesta de Blanca! Lee: «Lo siento, pero me voy al Museo de Historia con mi prima».

Paco, Carmen y Marina no saben qué hacer, quieren pasear un poco más por el parque, pero Lucas quiere volver al centro...

—¿Y a dónde quieres ir? —le pregunta Carmen a su hijo.

—Al Museo de Historia. Pero vosotros os podéis quedar aquí —contesta.

—Me parece muy buena idea —dice Paco—. ¡No lo conocemos!

—¡Y está al lado del hotel! —Marina mira el plano de la ciudad.

—¡Vamos contigo! —dice Carmen muy contenta.

A las once, los Fernández salen del parque hacia la parada del autobús.

—Para ir al metro no es por aquí —dice Lucas—. Tenemos que ir por allí.

—Pero ¿no prefieres el autobús? —Marina no entiende a su hermano.

—Para volver prefiero el metro —contesta Lucas—. Llegamos más rápido y tenemos más tiempo para visitar el Museo de Historia.

Los Fernández vuelven en metro. Caminan hasta la estación de Alfonso X y van en la línea 4 hasta la estación de Jaime I. El Museo de Historia está en la plaza del Rey, a un minuto del metro a pie.

11

DEL MUSEO DE HISTORIA AL BORN

Sábado – mediodía

En el Museo de Historia, los Fernández pasean por las calles de la Barcelona romana del siglo I a. C.[35], por la ciudad visigótica del siglo VII d. C.[36] y por la Barcelona medieval del siglo XIII.

Lucas busca a Blanca entre la gente y no piensa en nada más. Pero el joven no ve al amor de su vida por ningún sitio. Le escribe un mensaje simpático a Blanca: «¿Sabes dónde estoy con mi familia? ¡En el Museo de Historia! ¿En qué sala estás? Voy a saludarte».

—¡Qué inteligente es el ser humano! —dice Paco.

—El ser humano, no: algunos seres humanos —dice Marina—. Ahí tienes a Lucas, que viene hasta Barcelona, visita sitios maravillosos, pero solo mira su móvil. ¿Tú crees que es un ser humano inteligente?

35 *a. C.:* antes de Cristo.

36 *d. C.:* después de Cristo.

—Pero ¿qué le pasa a Lucas? —Carmen está preocupada porque su hijo mira el móvil con los ojos muy tristes.

El mensaje de Blanca dice: «No estoy en el museo. Hace muy buen día y, al final, preferimos pasear por el barrio del Born».

—Lucas, hijo, ¿estás bien? ¿Tienes algún problema? —le pregunta Carmen.

—No —contesta Lucas con una sonrisa—. Es Luis... tiene mucho trabajo... Y yo estoy aquí y no puedo hacer nada para ayudarlo.

Los Fernández salen del museo a las dos menos cuarto. Están al lado del hotel, pero no están cansados y prefieren ir a comer directamente.

—¿Comemos aquí, en el Barrio Gótico? —pregunta Carmen.

—¿Por qué no vamos a comer al barrio del Born? —contesta Lucas—. Estamos al lado y es un barrio muy simpático.

Los Fernández deciden comer en el Born, en un restaurante de comida catalana que les gusta mucho. Desde la Plaza del Ángel llegan a la plaza donde está la famosa iglesia medieval de Santa María del Mar[37].

—¿Nos sentamos un rato[38] en estas terrazas? —pregunta Paco.

—Sí, aquí tenemos sol y vemos Santa María del Mar —contesta Marina.

—Allí hay una mesa libre —dice Carmen.

Pero Lucas mira todas las mesas rápidamente y no ve a Blanca.

37 *Santa María del Mar:* iglesia gótica del siglo XIV.

38 *Rato:* un tiempo no muy largo. Puede ser media hora.

—¿Por qué no nos sentamos en las terrazas del paseo del Born? —pregunta.

—Nunca estás de acuerdo con nosotros —Marina está un poco enfadada—. Siempre tenemos que ir a donde tú dices.

Lucas piensa que su hermana tiene razón. Es un tonto por ir detrás de Blanca todo el rato, pero además ¡toda su familia va con él!

—Está bien —Lucas sonríe—. Nos sentamos aquí.

—Ahora ya está la mesa ocupada y no hay ninguna mesa libre —dice Paco.

Los Fernández caminan por el paseo del Born. Lucas no ve a Blanca en ninguna terraza. Va a escribirle un mensaje para preguntarle dónde está, pero... Blanca va a pensar que es un pesado por enviar tantos mensajes.

—¿Te parecen bien estas terrazas, Lucas? —pregunta Marina con ironía.

—Sí, pero ya son las dos —Lucas mira la hora—. ¿No tenéis hambre?

—Yo sí —contesta Paco—. ¿A qué hora tenemos la reserva en el restaurante?

—A las dos y cuarto —dice Carmen.

Los Fernández caminan hacia el restaurante de comida típica catalana, pero antes entran en el mercado de Santa Caterina a comprar embutidos y quesos catalanes para llevarse a Madrid. A las dos y cuarto llegan al restaurante.

12

EL ÚLTIMO MENSAJE

Sábado – 17.00 horas

Después de comer, los Fernández van al hotel a descansar un rato. Paco y Carmen duermen una siesta en su gran dormitorio.

Marina descansa en la cama mientras busca información en el móvil sobre espectáculos[39] el sábado por la noche en Barcelona.

Lucas escribe un mensaje para Blanca: «¿Quedamos esta noche?» No. Tiene que ser más directo. «¿A qué hora quedamos esta noche?». No, es demasiado directo. Quizás: «Blanca, ¿tienes algún plan esta noche?» No. Es él quien tiene que tener un plan. «Blanca, ¿quieres venir a ver el mar conmigo esta noche?» No, es demasiado romántico. ¡Y Blanca todavía recuerda a su exnovio! Por eso está en Barcelona: para olvidar[40].

A las mujeres les gustan los hombres sensibles. Él es sensible. Escribe: «¿Qué tal estás Blanca?». Ella cree que Lucas

39 *Espectáculo:* el teatro, la danza, los conciertos de música son espectáculos.

40 *Olvidar:* no recordar.

es un niño, como Luis. Tiene que parecer un hombre, un viajero experto. Escribe: «Siempre me gusta volver a Barcelona. Conozco sitios maravillosos. Si quieres, puedo llevarte esta noche a alguno de mis sitios favoritos». ¡Ahora, sí! ¡Enviar!

Blanca responde inmediatamente: «Hola, Lucas. Lo siento, pero no me encuentro bien. No voy a salir esta noche, me quedo en casa con mis tíos».

Lucas piensa que Blanca está triste y necesita reírse un poco. Él tiene una conversación divertida. Sí, tiene que llamar a Luis y preguntarle la dirección de sus tíos para hacerle una visita a Blanca. A las chicas les encantan las sorpresas... ¿O no? Su madre llama a su puerta en ese momento: ya son las cinco y lo esperan en recepción.

Lucas baja a la recepción. Carmen, Paco y Marina ya están allí. Los tres se miran y se ríen.

—¿Qué pasa? —pregunta Lucas—. ¿Por qué os reís?

—Nosotros tres —Marina sonríe divertida— vamos esta noche a un concierto en el Palau de la Música[41]. Es a las nueve.

—¿Vosotros tres? —pregunta Lucas sorprendido—. ¿Ya tenéis las entradas?

—No —contesta su madre—. Si quieres venir, compramos cuatro entradas.

—Y si no quieres venir —dice su padre—, te vemos después del concierto.

—O te vemos mañana —dice su hermana—. Eres mayor, puedes salir tú solo.

Lucas está muy triste. Nadie le necesita. Ni Blanca ni su familia. Carmen ve la cara triste de su hijo y sonríe:

41 *Palau de la Música:* auditorio construido por el arquitecto modernista Domènech i Muntaner. *Palau*, significa palacio en catalán.

—Pero yo prefiero comprar cuatro entradas y verte antes, durante y después del concierto.

—¿Quieres venir? —pregunta su padre—. Es un concierto de flamenco…

A Lucas no le gusta demasiado el flamenco, pero no quiere estar solo en Barcelona, sin Blanca y sin su familia. Eso es muy triste.

—¡Claro que sí! —contesta Lucas—. ¡Voy con vosotros al concierto!

13
DEL RAVAL AL BARRIO GÓTICO

Sábado por la tarde

Los Fernández caminan por la Rambla. Hace mucho calor y tienen sed. Entran en el mercado de la Boquería para tomar un zumo de fruta fresca.

—Para mí, este mercado es el más bonito del mundo —dice Carmen.

—Me encanta ver el pescado y el marisco —Paco mira las pescaderías.

—A mí me encanta el olor de los puestos de especias[42] —dice Lucas.

Van a una frutería donde hacen zumos naturales.

—Por favor, un zumo de sandía —le pide Marina al frutero.

—Yo quiero un zumo de melón —dice Paco.

—Yo, de mango —dice Carmen.

42 *Especia:* se utiliza para dar sabor a las comidas.

—¡No sé cuál pedir! —dice Lucas—. ¡Yo, un zumo de naranja, piña y fresas!

Después de beber los zumos de frutas, los Fernández salen del mercado al barrio del Raval. Pasean alrededor del Museo de Arte Contemporáneo de Barcelona, el MACBA, y caminan por calles pequeñas y estrechas. Hay tiendas de todas las nacionalidades, algunas son muy viejas, pero también hay tiendas modernas. Después, van por la calle del Carmen hasta la Rambla del Raval, llena de cafeterías, restaurantes y bares con terrazas.

—¿Queréis tomar un café en esa terraza con árboles? —pregunta Carmen.

Los cuatro están de acuerdo: es un sitio fresco y agradable. Carmen y Marina piden un café con hielo, Paco y Lucas piden un café solo.

A las siete de la tarde, los Fernández vuelven hacia el hotel. Pasan por el Palau Güell, del arquitecto Antonio Gaudí, cruzan otra vez la Rambla y llegan al Barrio Gótico. Pasan por la bonita plaza Real y caminan por calles pequeñas hasta el hotel. Tienen tiempo para ducharse, ponerse otra ropa más elegante y cenar algo rápido en la cafetería del hotel.

Los Fernández salen del hotel a las nueve menos veinticinco y van a pie hasta el Palau de la Música Catalana. El concierto empieza a las nueve, pero están muy cerca. A las nueve menos cuarto entran en el bonito edificio.

14

SORPRESA EN EL PALAU DE LA MÚSICA

Sábado por la noche

El Palau de la Música Catalana es un edificio modernista de principios del siglo XX. Los Fernández no conocen el edificio por dentro, solo por fuera. Mientras suben al primer piso, miran la decoración con la boca abierta[43].

—Es impresionante —dice Marina—. ¡Qué buena idea venir aquí!

—Y vamos a ver a Mayte Martín y Miguel Poveda —Carmen está contenta.

—Yo no sé quiénes son —Lucas sonríe tímido.

—Son unos cantaores[44] buenísimos, pero no te van a gustar —dice Paco.

—Necesito ir al servicio, vuelvo enseguida —dice Lucas.

Corre abajo hasta los servicios. Delante de él hay dos puertas: hombres y mujeres. La puerta de las mujeres se abre y ¡sale Blanca! Los dos se miran sorprendidos. La joven sonríe nerviosa.

43 *Con la boca abierta:* con admiración.

44 *Cantaor/a:* cantante de flamenco.

—Hola, Lucas. ¡Qué sorpresa encontrarnos aquí!

—Sí. ¿Ya te encuentras bien? —pregunta Lucas amablemente.

—Sí, estoy mejor, pero después del concierto me voy a casa —contesta rápidamente la chica.

—Yo también vuelvo al hotel con mi familia después del concierto —dice Lucas—. Pero quizás mañana por la mañana…

—Lo siento, pero voy con mis tíos y mi prima al Puerto Olímpico a comer.

La prima de Blanca es una chica atractiva, delgada y morena, de unos dieciocho años. Mira a Lucas con una gran sonrisa. Lucas también la mira y sonríe, pero Blanca no los presenta: no dice sus nombres.

—¡El concierto va a empezar! —dice Blanca y corre.

—Bueno, pues… —Lucas le dice adiós con la mano, pero ella ya está lejos.

—¡Hasta luego! —la prima sonríe y mira a Lucas mientras se va.

Lucas entra en el servicio en estado de shock. ¡Acaba de ver a Blanca! Y no está enferma ni triste. Ahora lo entiende: no quiere verlo ni quedar con él. Eso es todo. Se lava la cara y se mira en el espejo: «Soy un tonto».

Lucas escucha el concierto de flamenco con mucha atención. Entiende el sentimiento flamenco y quiere gritar como esos artistas. Pero él no es un artista: es una persona ridícula.

El concierto termina y Lucas se levanta de su asiento para aplaudir.

—¡Bravo! ¡Bravo! —grita emocionado.

Carmen, Paco y Marina lo miran sorprendidos.

15
UNA PAELLA EN LA BARCELONETA

Domingo por la mañana

Los Fernández se levantan temprano porque es su último día en Barcelona, por la tarde vuelven a Madrid. A las ocho y media desayunan en el comedor del hotel, después suben a sus habitaciones, hacen las maletas y las bajan a la recepción.

A las nueve y media salen del hotel. Paco y Carmen quieren ir a Montjuïc[45] a pasear, pero Marina y Lucas no quieren ir porque está lejos.

—Hay que ir en autobús, metro o taxi hasta Montjuïc —dice Marina.

—Y esta tarde vamos a estar tres horas de viaje hasta Madrid —dice Lucas.

—Por primera vez en vuestra vida estáis de acuerdo en algo —dice Carmen.

45 *Montjuïc:* montaña con vistas a la ciudad y al puerto donde hay parques e importantes museos.

—Está bien, ¿queréis pasear por la Villa Olímpica[46]? —pregunta Paco.

Lucas recuerda que Blanca va a comer a la Villa Olímpica con sus tíos y su prima. Sabe que Blanca no quiere verlo.

—¡No, a la Villa Olímpica, no! —dice inmediatamente.

—¿Por qué? —pregunta Marina—. Podemos pasear hasta el barrio de la Barceloneta[47] y desde allí vamos por el paseo marítimo.

—Sí, podemos comer en el Puerto Olímpico —dice Paco.

—¿No preferís comer en la Barceloneta? —pregunta Lucas.

—¡Yo sí! ¡Vamos a comer una paella a la Barceloneta! —dice Carmen.

Los cuatro están de acuerdo en ir a la Barceloneta a comer una paella. Llaman por teléfono y reservan una mesa para la una y media.

Del Barrio Gótico salen al paseo de Colón. Caminan despacio, sin prisa. Miran las tiendas, los edificios y las terrazas donde los turistas y los barceloneses desayunan al sol. Media hora después, a las diez, llegan al Port Vell[48]. Allí ven barcos grandes para muchos viajeros y también pequeños barcos deportivos. Caminan hasta el Acuario, uno de los sitios favoritos de los turistas, y pasean por la zona comercial.

A las once y media llegan al barrio de la Barceloneta y descansan en una terraza enfrente del mar. Hace calor y en la playa hay gente que toma el sol en bañador. El mar está muy azul.

46 *Villa Olímpica:* zona residencial y de ocio construida para los Juegos Olímpicos de 1992.

47 *Barceloneta:* barrio marinero al lado de la playa y del puerto.

48 *Port Vell:* puerto viejo en catalán.

—El mar es maravilloso —dice Paco—. Me encantan las ciudades con mar.

—¡Me encanta este barrio, es céntrico y tiene playa! —dice Marina.

—¿Venimos a vivir a Barcelona? —Carmen se ríe.

—Sí. Si encuentras un buen trabajo aquí, venimos, cariño —contesta Paco.

—¿Y tú, no puedes encontrar un buen trabajo aquí, papá? —Lucas se ríe.

—Tu madre es una abogada de lujo[49], pero yo no soy un dibujante de lujo.

—Para mí eres un gran dibujante —dice Marina—. Y un padre de lujo.

Paco y Carmen miran con amor a sus hijos y piensan que es genial[50] poder viajar juntos los cuatro. Son momentos para recordar toda la vida.

Los Fernández llegan a las dos al restaurante. Les encanta el sitio y, además, pueden ver el mar desde su mesa mientras comen. La paella de marisco está buenísima. Toman el postre típico: una crema catalana.

A las tres y media, vuelven hacia el hotel. Antes de llegar, toman un café en una pequeña plaza del Barrio Gótico. A las cinco menos veinte salen del hotel con las maletas. Un taxi los espera.

49 *De lujo:* muy, muy bueno.

50 *Genial:* muy bueno, fantástico.

16 ¡BUEN VIAJE!

Domingo por la tarde

El AVE de Barcelona a Madrid sale a las cinco y veinticinco. Los Fernández llegan a la estación de Sants a las cinco, pasan el control de las maletas y llegan a la puerta número siete a las cinco y diez. Allí esperan con todos los viajeros que van a Madrid.

Lucas piensa en el momento de su encuentro con Blanca en el Palau de la Música. Tiene que olvidar a esa chica. Al amor de su vida. Porque el amor es cosa de dos. Y si uno no quiere... Su amor es imposible. Tal vez dentro de algunos años... Pero ahora no. No debe pensar más en ella. No debe verla.

—¡Hola, Lucas!

Lucas mira delante de él. Blanca le pregunta con una sonrisa:

—¿Tú también vuelves a Madrid en el AVE de las cinco y veinticinco?

—Sí... Yo... también —contesta Lucas, tímido.

—Si quieres, nos vemos en la cafetería del tren —dice Blanca.

—Lo siento, pero estoy cansado y quiero dormir un poco.

—Ah, pues... hasta luego y ¡buen viaje! —contesta Blanca sorprendida.

—¡Buen viaje, Blanca! Y adiós.

Paco, Carmen y Marina no pueden creer lo que ven: una chica guapísima y simpática que quiere quedar con Lucas, pero él le dice amablemente «no». Se miran los tres y se ríen, pero no dicen nada.

Los Fernández se sientan en el tren a las cinco y cuarto. A las cinco y veintitrés minutos, Lucas ve por la ventanilla del tren a una chica pelirroja que corre con una maleta y sube al tren. De su bolso cae un libro al suelo, pero ella no lo ve. Lucas se levanta rápidamente de su asiento...

—¿A dónde vas, Lucas? —pregunta Carmen.

Marina, que mira por la ventanilla, ve salir del tren a su hermano.

—¡Mamá, Lucas se baja del tren!

—¿Qué hace? ¡El tren va a salir! —Paco está muy nervioso.

Pero Lucas vuelve a subir al tren, con el libro en la mano. Cinco segundos después, el tren cierra sus puertas y sale hacia Madrid.

Lucas encuentra en el pasillo del tren a la chica pelirroja.

—¡Perdona! ¿Este libro es tuyo?: *Debemos salvar a las ballenas*.

—¡Sí! ¡Gracias! —la pelirroja sonríe—. ¡Tú eres el chico del calcetín blanco!

Lucas recuerda en ese momento a la pelirroja de la estación de Atocha.

—¡Sí! Bueno, el calcetín blanco es de mi padre —Lucas se ríe—. ¿Quieres tomar algo en la cafetería?

—¡Sí! Voy a buscar mi asiento y te veo después en la cafetería. Me llamo Almudena, ¿y tú?

—Yo me llamo Lucas. ¡Hasta ahora! —Lucas sonríe contento.

Carmen, Paco y Marina ven llegar a Lucas.

—¿Qué pasa, Lucas? —pregunta Paco.

—Nada —responde Lucas y sonríe feliz[51] —. Voy a la cafetería.

—¿A ver a la chica rubia? —Carmen se ríe.

—No —contesta Lucas.

—¿Y por qué tienes esa sonrisa en la cara? —pregunta Marina.

—Porque pienso en una cosa —responde Lucas.

—¿En qué piensas? —pregunta Carmen.

—¡En salvar a las ballenas!

Lucas se ríe y se va hacia la cafetería. Y piensa que los viajes están llenos de sorpresas. Cuando te vas de Madrid, eres una persona y, cuando vuelves, eres otra. ¡Eso es un verdadero viaje! ¡*Moltes gràcies*[52], Barcelona!

[51] *Feliz:* muy contento.

[52] *Moltes gràcies:* en catalán: muchas gracias.

ACTIVIDADES

1. SIN NOTICIAS DE CARMEN

1. ¿Qué sabes sobre los Fernández?

1. El padre se llama .... y tiene ...... años.
2. La madre se llama .... y tiene ...... años.
3. La hija se llama ...., y el hijo ....
4. Viven en el .... piso de la calle de ....
5. Carmen es .... y trabaja en ....

2. ¿Verdadero o falso?

	V	F
1. Hoy es miércoles.	☐	☐
2. Los Fernández viven lejos del centro de Madrid.	☐	☐
3. Carmen nunca llega antes de las ocho.	☐	☐
4. A Carmen y a Paco les gusta viajar.	☐	☐
5. Hoy Carmen llega temprano.	☐	☐
6. Los Fernández cenan gazpacho.	☐	☐
7. Carmen tiene una sorpresa para su familia.	☐	☐
8. De primero cenan pollo.	☐	☐

REFLEXIÓN

Compara tu familia con los Fernández.

1. ¿Cuántos sois? ¿Dónde vivís?
2. ¿Cenas con tu familia? ¿A qué hora?

2. UNA BUENA NOTICIA

1. Elige la opción correcta.

1. Después de cenar, los Fernández **ven la tele/se acuestan**.
2. Van a viajar **este fin de semana/el próximo mes**.
3. El hijo **puede ir/no puede ir**.
4. Marina y Lucas **se llevan bien/no se llevan bien**.
5. Carmen quiere ir a **Sevilla/Barcelona**.
6. Los Fernández **saben/no saben** a dónde van a ir.

2. Relaciona la información de las dos columnas.

1. Después de cenar, los Fernández	a. están de acuerdo.
2. Paco pregunta a Carmen	b. porque hace calor.
3. Los Fernández van de viaje porque	c. se sientan en el salón.
4. Lucas no puede ir de viaje porque	d. es un regalo de un cliente de Carmen.
5. Marina y Lucas nunca	e. van a tomar una decisión.
6. Lucas tiene tres años	f. cuál es la sorpresa.
7. Paco no quiere ir a Sevilla	g. el sábado va a una manifestación.
8. Mañana van a mirar la página web y	h. más que Marina.

1. ¿Con quién viajas normalmente?
2. ¿Te gusta viajar con tu familia?

3. LUCAS VA A LA FACULTAD

1. Relaciona los siguientes adjetivos con sus contrarios.

1. triste	a. maleducado
2. guapo	b. alegre
3. listo	c. aburrido
4. divertido	d. débil
5. educado	e. feo
6. nervioso	f. antipático
7. independiente	g. tonto
8. simpático	h. tranquilo
9. fuerte	i. dependiente

2. Completa las frases sobre este capítulo.

1. Lucas se encuentra con su amigo Luis en ....
2. La hermana de Lucas ahora no tiene ....
3. Lucas .... de Blanca desde hace años.
4. Blanca es dos años.............. que Lucas.
5. Todas las chicas de la clase están enamoradas de ....
6. Lucas piensa que Blanca puede ser su ....
7. Este fin de semana Blanca va a ....
8. Lucas no va a ir con Luis a ....

1. ¿Crees que Lucas tiene alguna posibilidad con Blanca? ¿Por qué?
2. Imagina que eres Luis, el amigo de Lucas, ¿te enfadas con Lucas porque no va a la manifestación o lo entiendes?

4. ¿A DÓNDE VAMOS?

1. Relaciona las palabras para formar expresiones que aparecen en este capítulo.

1. estar delante	a. un lugar
2. una buena	b. del ordenador
3. un desayuno	c. el Ártico
4. estar	d. idea
5. buscar	e. de acuerdo
6. un hotel	f. delicioso
7. ir	g. completo
8. salvar	h. de viaje

2. Lee las siguientes informaciones. Hay tres que no son verdad. Márcalas con una X.

1. Carmen no quiere mirar más la página web porque está cansada. ☐
2. Les gusta un hotel que está completo. ☐
3. Marina quiere ir a la isla de El Hierro. ☐
4. No hay vuelos directos de Madrid a El Hierro. ☐
5. No van a Canarias porque no tienen tiempo. ☐
6. Marina prefiere ir a Bilbao. ☐
7. Lucas está enfadado con su hermana. ☐
8. Lucas y Carmen quieren ir a Barcelona. ☐

¿Qué es lo más importante para ti para ir de vacaciones a un lugar: el alojamiento, la comida, la ubicación, el precio, el clima...?

5. ¡A LA ESTACIÓN DE ATOCHA!

1. ¿Quién?

Paco – Lucas – la azafata – la chica pelirroja

1. Paga al taxista en la estación de Atocha: ....
2. Abre la maleta en el control de la policía: ....
3. Pide los billetes: ....
4. Va a buscar a Paco: ....
5. Le da un calcetín blanco a Paco: ....
6. Llega antes que Paco a la puerta número diez: ....

2. Relaciona la información de las dos columnas.

1. Los Fernández van en	a. hacia el control de la policía.
2. En la calle hay	b. y caen las cosas al suelo.
3. Los viernes mucha gente	c. taxi a la estación de Atocha.
4. Llegan a la estación a las siete menos diez y	d. el interior de la maleta de Paco.
5. Corren con las maletas	e. al AVE en el útimo momento.
6. Un policía quiere ver	f. mucho tráfico.
7. La maleta de Paco se abre	g. sale de Madrid para pasar el fin de semana fuera.
8. Los Fernández suben	h. el tren sale a las siete.

Cuando viajas en tren o en avión, ¿llegas con tiempo normalmente a la estación o al aeropuerto? ¿O tienes que correr como los Fernández?

6. UN TREN QUE VUELA COMO UN PÁJARO

1. ¿Verdadero o falso?

		V	F
1.	El viaje en AVE dura unas seis horas.	☐	☐
2.	Marina y Lucas se sientan al lado de la ventanilla.	☐	☐
3.	Lucas envía un mensaje a Blanca.	☐	☐
4.	Blanca está en el hospital.	☐	☐
5.	Lucas recibe un mensaje de su madre.	☐	☐
6.	Lucas envía un mensaje a su amigo Luis para ayudarlo con la manifestación.	☐	☐
7.	Lucas se levanta para llamar a Luis.	☐	☐

2. Completa el resumen con la información que falta.

Los Fernández están en el AVE (1) .... Marina se sienta al lado de su madre y Lucas (2) .... Lucas está nervioso porque (3) .... y piensa que quizás ella está en la ducha, no oye sus mensajes o está en un hospital. Entonces recibe un mensaje, (4) .... Sus padres y su hermana no entienden por qué (5) .... Lucas le dice a su padre que (6) .... con la organización de la manifestación de mañana. Los padres de Lucas (7) .... Lucas se levanta para llamar a (8) .... por Blanca.

a. envía instrucciones para ayudar
b. no tiene noticias de Blanca
c. hacia Barcelona.
d. mira su móvil.
e. Luis y preguntarle
f. al lado de su padre.
g. están orgullosos de su hijo.
h. pero es de su madre.

REFLEXIÓN

¿Con qué frecuencia miras tu móvil: cada hora, cada media hora, cada quince minutos…?

7. SIN NOTICIAS DE BLANCA

1. Ordena lo que sucede en este capítulo.

1	2	3	4	5	6	7
b						

a. Luis llama a Lucas y le dice que su hermana no quiere hablar con él.
b. Lucas llama a Luis, pero su amigo no contesta.
c. El camarero le sirve a Almudena un bocadillo.
d. Lucas vuelve a la cafetería y se encuentra otra vez con Almudena.
e. La chica pelirroja saluda a Lucas.
f. Lucas sale de la cafetería.
g. Lucas vuelve con su familia y se enfada.

2. Completa las frases sobre este capítulo.

1. Lucas no ve ni oye a la chica pelirroja porque piensa en ....
2. La chica pelirroja se llama ....
3. La chica pelirroja come un bocadillo de ....
4. Lucas piensa que Blanca no contesta porque tiene el número ....
5. Marina prefiere viajar en AVE que en ....
6. Lucas está en contra del avión porque no es ....

¿Cómo se siente Lucas al final de este capítulo? ¿Por qué?

8. LOS FERNÁNDEZ LLEGAN A BARCELONA

1. Lee las siguientes informaciones. Hay tres que no son verdad. Márcalas con una X.

1. Los Fernández llegan a la estación de Sants a las nueve y media. ☐
2. Están en invierno y hace frío. ☐
3. La Pedrera es un edificio de Gaudí. ☐
4. Carmen y Paco no conocen el Parque Güell. ☐
5. El Parque Güell tiene vistas de Barcelona. ☐
6. Marina no quiere ir al Parque Güell. ☐
7. Lucas no quiere ir lejos del centro porque quiere ver a Blanca. ☐
8. El hotel está cerca de la Catedral. ☐

2. Busca información sobre los siguientes lugares de Barcelona.

1. La Sagrada Familia ....
2. La Casa Batlló ....
3. La Pedrera ....
4. El Parque Güell ....
5. La Rambla ....
6. El Raval ....
7. El Barrio Gótico ....

REFLEXIÓN

Cuando visitas una ciudad, ¿qué te interesa más: los museos, las calles, los monumentos, la arquitectura, la gastronomía, la gente…?

9. UN HOTEL EN EL BARRIO GÓTICO

1. Relaciona las palabras para formar expresiones.

1. comer	a. lujo
2. una habitación	b. hambre
3. un balcón con	c. unas tapas
4. un hotel de	d. poca batería
5. tener	e. doble
6. un móvil con	f. tarde
7. volver	g. vistas

2. Completa el resumen con la información que falta.

Carmen y Paco se encuentran (1) .... con su hija Marina. Su hija está contenta porque tiene (2) .... a la plaza. Ellos tienen una suite con salón, (3) .... Paco y Marina tienen hambre y deciden ir (4) .... Lucas llega a la recepción y les dice que (5) .... porque está cansado, pero en realidad (6) .... su móvil tiene poca batería y espera una respuesta de Blanca. En ese momento (7) ...... y va con su familia a cenar.

a. prefiere quedarse en el hotel
b. comedor y terraza con jardín.
c. en la recepción del hotel
d. recibe un mensaje de Blanca
e. una habitación con vistas
f. no quiere salir porque
g. a cenar a un bar de tapas.

1. ¿Hasta qué hora puedes cenar en un restaurante en tu ciudad?
2. ¿Te gustan las tapas? ¿Sabes qué son?

10. DE LA PLAZA CATALUÑA AL PARQUE GÜELL

1. ¿Verdadero o falso?

		V	F
1.	Los Fernández se levantan temprano.	☐	☐
2.	Pueden ir al Parque Güell en metro o en autobús.	☐	☐
3.	Es más rápido ir en autobús que en metro.	☐	☐
4.	Los Fernández pasan por el Paseo de Gracia.	☐	☐
5.	Cuando llegan al parque, los Fernández no tienen que comprar las entradas.	☐	☐
6.	Lucas quiere encontrarse con Blanca.	☐	☐
7.	Blanca quiere encontrarse con Lucas en el museo.	☐	☐
8.	El Museo de Historia está al lado del hotel.	☐	☐

2. Relaciona la información de las dos columnas.

1. Los Fernández desayunan
2. Estudian los planos para
3. Pueden tomar la línea 4
4. También pueden ir en autobús desde
5. Prefieren el autobús porque
6. En las taquillas del Parque Güell hay
7. Lucas recibe un mensaje de Blanca que dice que
8. La familia sale del parque y

a. saber cómo llegar al Parque Güell.
b. la plaza de Cataluña.
c. vuelve en metro al centro.
d. café con leche, zumo, bollos y tostadas.
e. va con su prima al Museo de Historia.
f. hasta la parada Alfonso X.
g. mucha gente.
h. pueden ver la ciudad.

REFLEXIÓN

Cuando viajas, ¿prefieres hacer cosas solo o acompañado?

11. DEL MUSEO DE HISTORIA AL BORN

1. Ordena lo que sucede en este capítulo.

1	2	3	4	5	6	7
c						

a. Carmen le pregunta a Lucas si tiene algún problema.
b. Los Fernández compran embutidos en el mercado.
c. Lucas busca a Blanca en el Museo de Historia.
d. Quieren sentarse en una terraza, pero no hay sitio.
e. Los Fernández llegan al restaurante.
f. Lucas recibe un mensaje de Blanca que dice que no está en el museo.
g. Los Fernández salen del museo y van hacia el Born.

2. Lee las siguientes informaciones. Hay tres que no son verdad. Márcalas con una X.

1. En el museo hay calles del siglo I a. C. ☐
2. Marina piensa que Lucas es muy inteligente. ☐
3. Carmen está preocupada por su hijo. ☐
4. Lucas recibe un mensaje de Luis. ☐
5. Lucas busca a Blanca en el Born. ☐
6. Lucas no encuentra a Blanca. ☐
7. Tienen una mesa reservada en un restaurante. ☐
8. Los Fernández llegan tarde al restaurante. ☐

REFLEXIÓN

¿Crees que Blanca quiere ver a Lucas en Barcelona? ¿Por qué?

12. EL ÚLTIMO MENSAJE

1. Completa las frases con las preposiciones que faltan.

1. Después .... comer, descansan ...... el hotel.
2. Marina quiere ver un espectáculo .... Barcelona el sábado .... la noche.
3. Lucas piensa que tiene que llamar .... Luis.
4. El concierto .... flamenco es .... las nueve.
5. Lucas no quiere estar solo .... Barcelona esta noche.
6. Lucas va .... su familia .... concierto.

2. Completa el resumen con la información que falta.

Los Fernández (1) .... a descansar. Los padres duermen una siesta, Marina (2) .... sobre espectáculos en Barcelona y Lucas (3) .... a Blanca. Quiere quedar con ella esta noche. Blanca (4) .... y le dice que no se encuentra bien y que se va a quedar (5) .... Lucas se encuentra con su familia en la recepción del hotel. Van a comprar (6) .... a un concierto de flamenco. Lucas (7) .... y no quiere estar solo y decide ir al (8) ....

a. está muy triste
b. busca información
c. en casa de sus tíos.
d. concierto con su familia.
e. vuelven al hotel
f. responde inmediatamente
g. las entradas para ir
h. le envía un mensaje

1. ¿Qué piensa Lucas cuando Blanca le dice que no se encuentra bien?
2. Imagina que estás en la situación de Lucas, ¿qué piensas tú?

13. DEL RAVAL AL BARRIO GÓTICO

1. ¿Verdadero o falso?

	V	F
1. El sábado por la tarde pasean por la Rambla.	☐	☐
2. En el mercado de la Boquería hay muchos puestos.	☐	☐
3. Los Fernández toman un zumo en el Raval.	☐	☐
4. El Raval es un barrio multicultural.	☐	☐
5. Se sientan en una terraza del mercado.	☐	☐
6. A las nueve menos veintinco vuelven al hotel.	☐	☐
7. No tienen tiempo de cenar antes del concierto.	☐	☐
8. Van a pie de su hotel al Palau de la Música.	☐	☐

2. Elige la opción correcta.

1. Para Carmen el mercado de la Boquería es el más bonito ....
   a. de España. b. del mundo. c. de Barcelona.
2. Marina toma un zumo de ....
   a. sandía. b. melón. c. mango.
3. Los Fernández pasean por ....
   a. el Raval. b. la Plaza Real. c. el Barrio Gótico.
4. En la Rambla del Raval hay..............
   a. pescaderías. b. bares con terrazas. c. muchas tiendas.
5. Carmen pide un café ....
   a. solo. b. con leche. c. con hielo.
6. Los Fernández tardan ... en llegar al Palau de la Música.
   a. diez minutos b. veinte minutos c. cinco minutos

REFLEXIÓN

¿Te gustan los mercados? ¿Hay un mercado en tu ciudad? ¿Cómo es?

14. SORPRESA EN EL PALAU DE LA MÚSICA

1. Relaciona las palabras para formar expresiones que aparecen en este capítulo.

1. un edificio	a. por la mañana
2. con la boca	b. modernista
3. una buena	c. en el espejo
4. mañana	d. abierta
5. estar	e. con atención
6. mirarse	f. idea
7. escuchar	g. enfermo

2. Relaciona la información de las dos columnas.

1. El Palau de la Música es	a. va a los servicios.
2. Los Fernández no conocen	b. un edificio de principios del siglo XX.
3. Mayte Martín y Miguel Poveda son	c. ella no quiere verlo.
4. Antes del concierto, Lucas	d. mucho el concierto.
5. En el Palau de la Música Lucas se encuentra	e. el edificio por dentro.
6. Después de hablar con Blanca, Lucas entiende que	f. cantaores de flamenco.
7. Lucas escucha el concierto	g. con Blanca y su prima.
8. A Lucas le gusta	h. con mucha atención.

1. ¿Cómo se siente Lucas después de hablar con Blanca?
2. ¿Por qué están sorprendidos los padres de Lucas?

15. UNA PAELLA EN LA BARCELONETA

1. Ordena lo que sucede en este capítulo.

1	2	3	4	5	6	7	8
c							

a. Desayunan y dejan las maletas en la recepción.
b. Pasean por el puerto y por la zona comercial.
c. Los Fernández se levantan temprano.
d. Vuelven al hotel.
e. Salen del hotel a las nueve y media.
f. Se sientan en una terraza de la Barceloneta.
g. Reservan una mesa en un restaurante.
h. Comen una paella frente al mar.

2. Lee las siguientes informaciones. Hay tres que no son verdad. Márcalas con una ✗.

1. Hoy es su último día en Barcelona. ☐
2. Van a pasear a Montjuïc. ☐
3. Lucas no quiere ir a la Villa Olímpica porque allí está Blanca. ☐
4. Los Fernández deciden ir a la Barceloneta. ☐
5. A los Fernández no les gusta Barcelona. ☐
6. Los Fernández llegan tarde al restaurante. ☐
7. Los Fernández toman un café en la cafetería del hotel. ☐
8. Los Fernández van en taxi a la estación de Sants. ☐

¿Crees que Lucas está contento? ¿Por qué?

16. ¡BUEN VIAJE!

1. Completa el resumen del capítulo con la información que falta.

Los Fernández llegan a la estación de Sants a las cinco y pasan (1) .... Lucas piensa en Blanca y cree que, después de la experiencia en Barcelona, no debe verla más. En ese momento (2) .... Blanca le propone tomar algo en la cafetería, pero él le dice que (3) .... y que quiere dormir. Antes de salir el tren, Lucas ve a (4) .... que corre con una maleta, un libro le cae de su bolso. Lucas (5) .... para coger el libro. Busca a la chica pelirroja y (6) .... Ella reconoce a Lucas y él la invita a (7) .... Lucas está contento y piensa que los viajes (8) ....

a. le da el libro.
b. el control de las maletas.
c. baja del tren
d. está muy cansado
e. están llenos de sorpresas.
f. se encuentra con ella.
g. tomar algo en la cafetería.
h. una chica pelirroja

2. ¿Quién?

Lucas – Los Fernández – Blanca – Paco – Almudena

1. Llega a las cinco a la estación: ....
2. Cree que no tiene que pensar más en Blanca: ....
3. Saluda a Lucas en la estación: ....
4. Está cansado y no quiere ir a la cafetería con ella: ....
5. Ve a una pelirroja que corre con una maleta hacia el tren: ....
6. Se pone nervioso porque ve a Lucas que baja del tren: ....
7. Da un libro a una chica: ....
8. Pregunta a Lucas si es el chico del calcetín blanco: ....

1. ¿Te gusta el final de esta historia?
2. ¿Sabes más español ahora?

SOLUCIONES

1. SIN NOTICIAS DE CARMEN

1. 1. Paco ▸ 50 2. Carmen ▸ 48 3. Marina ▸ Lucas
4. cuarto ▸ la Bola 5. Abogada ▸ un despacho
2. 1. ▸ V 2. ▸ F 3. ▸ V 4. ▸ V 5. ▸ F 6. ▸ V 7. ▸ V 8. ▸ F

2. UNA BUENA NOTICIA

1. 1. ▸ ven la tele 2. ▸ este fin de semana 3. ▸ no puede ir
4. ▸ no se llevan bien 5. ▸ Barcelona 6. ▸ no saben
2. 1. ▸ c 2. ▸ f 3. ▸ d 4. ▸ g 5. ▸ a 6. ▸ h 7. ▸ b 8. ▸ e

3. LUCAS VA A LA FACULTAD

1. 1. ▸ b 2. ▸ e 3. ▸ g 4. ▸ c 5. ▸ a 6. ▸ h 7. ▸ i 8. ▸ f 9. ▸ d
2. 1. ▸ la salida del metro 2. ▸ novio 3. ▸ está enamorado
4. ▸ mayor 5. ▸ Lucas 6. ▸ novia 7. ▸ Barcelona
8. ▸ la manifestación

4. ¿A DÓNDE VAMOS?

1. 1. ▸ b 2. ▸ d 3. ▸ f 4. ▸ e 5. ▸ a 6. ▸ g 7. ▸ h 8. ▸ c
2. 2., 6. y 7.

5. ¡A LA ESTACIÓN DE ATOCHA!

1. 1. ▸ Paco 2. ▸ Paco 3. ▸ la azafata 4. ▸ Lucas
5. ▸ la chica pelirroja 6. ▸ la chica pelirroja
2. 1. ▸ c 2. ▸ f 3. ▸ g 4. ▸ h 5. ▸ a 6. ▸ d 7. ▸ b 8. ▸ e

6. UN TREN QUE VUELA COMO UN PÁJARO

1. 1. ▸ F 2. ▸ V 3. ▸ V 4. ▸ F 5. ▸ V 6. ▸ F 7. ▸ V
2. 1. ▸ c 2. ▸ f 3. ▸ b 4. ▸ h 5. ▸ d 6. ▸ a 7. ▸ g 8. ▸ e

7. SIN NOTICIAS DE BLANCA

1. 1. ▸ b 2. ▸ e 3. ▸ c 4. ▸ a 5. ▸ f 6. ▸ g 7. ▸ d

2. 1. ▸ Blanca 2. ▸ Almudena 3. ▸ tortilla de patatas
   4. ▸ equivocado 5. ▸ avión 6. ▸ ecológico

8. LOS FERNÁNDEZ LLEGAN A BARCELONA

1. 2., 4. y 6.

9. UN HOTEL EN EL BARRIO GÓTICO

1. 1. ▸ c 2. ▸ e 3. ▸ g 4. ▸ a 5. ▸ b 6. ▸ d 7. ▸ f
2. 1. ▸ c 2. ▸ e 3. ▸ b 4. ▸ g 5. ▸ a 6. ▸ f 7. ▸ d

10. DE LA PLAZA CATALUÑA AL PARQUE GÜELL

1. 1. ▸ V 2. ▸ V 3. ▸ F 4. ▸ V 5. ▸ F 6. ▸ V 7. ▸ F 8. ▸ V
2. 1. ▸ d 2. ▸ a 3. ▸ f 4. ▸ b 5. ▸ h 6. ▸ g 7. ▸ e 8. ▸ c

11. DEL MUSEO DE HISTORIA AL BORN

1. 1. ▸ c 2. ▸ f 3. ▸ a 4. ▸ g 5. ▸ d 6. ▸ b 7. ▸ e
2. 2., 4. y 8.

12. EL ÚLTIMO MENSAJE

1. 1. ▸ de, en 2. ▸ en, por 3. ▸ a 4. ▸ de, a 5. ▸ en 6. ▸ con, al
2. 1. ▸ e 2. ▸ b 3. ▸ h 4. ▸ f 5. ▸ c 6. ▸ g 7. ▸ a 8. ▸ d

13. DEL RAVAL AL BARRIO GÓTICO

1. 1. ▸ V 2. ▸ V 3. ▸ F 4. ▸ V 5. ▸ F 6. ▸ F 7. ▸ F 8. ▸ V
2. 1. ▸ b 2. ▸ a 3. ▸ a 4. ▸ b 5. ▸ c 6. ▸ a

14. SORPRESA EN EL PALAU DE LA MÚSICA

1. 1. ▸ b 2. ▸ d 3. ▸ f 4. ▸ a 5. ▸ g 6. ▸ c 7. ▸ e
2. 1. ▸ b 2. ▸ e 3. ▸ f 4. ▸ a 5. ▸ g 6. ▸ c 7. ▸ h 8. ▸ d

15. UNA PAELLA EN LA BARCELONETA

1. 1. ▸ c 2. ▸ a 3. ▸ e 4. ▸ g 5. ▸ b 6. ▸ f 7. ▸ h 8. ▸ d
2. 2., 5. y 7.

16. ¡BUEN VIAJE!

1. 1. ▸ b 2. ▸ f 3. ▸ d 4. ▸ h 5. ▸ c 6. ▸ a 7. ▸ g 8. ▸ e
2. 1. ▸ Los Fernández 2. ▸ Lucas 3. ▸ Blanca 4. ▸ Lucas
   5. ▸ Lucas 6. ▸ Paco 7. ▸ Lucas 8. ▸ Almudena